HENRi HELYNT
YN DWYN O'R BANC

Addasiad Siân Lewis

Lluniau gan Tony Ross

Cyhoeddwyd am y tro cyntaf ym Mhrydain yn 2008
gan Orion Children's Books
adran o The Orion Publishing Group Ltd
Orion House
5 Upper St Martin's Lane
London WC2H 9EA
dan y teitl *Horrid Henry Robs the Bank.*

Cyhoeddwyd gan CAA, Prifysgol Aberystwyth
(www.caa.aber.ac.uk).

Noddwyd gan Lywodraeth Cymru.

ISBN 978 1 84521 479 1

Golygwyd gan Delyth Ifan
Dyluniwyd gan Richard Huw Pritchard
Argraffwyd gan Y Lolfa

CYNNWYS

....

PAPUR NEWYDD HENRI HELYNT

'Dyw hi ddim yn deg!' sgrechiodd Henri Helynt. 'Dwi eisiau Ci Robot Hip-Hop!'

Roedd angen arian ar Henri Helynt. Pentwr enfawr, enfawr o arian. Doedd dim angen arian ar Mam a Dad, eto i gyd roedd ganddyn nhw lawer mwy o arian nag e. Doedd hynny ddim yn deg. Pam oedd e mor arbennig o dda am *wario* arian, ond mor wael am *gael gafael* ar arian?

A nawr roedd Mam a Dad yn gwrthod

prynu rhywbeth pwysig, pwysig iddo.

'Mae gen ti ddigon o deganau,' meddai Mam.

'A dwyt ti byth yn chwarae â nhw,' meddai Dad.

'Achos maen nhw i gyd mor ddiflas!' sgrechiodd Henri. 'Dwi eisiau ci robot!'

'Rhy ddrud,' meddai Mam.

'Rhy swnllyd,' meddai Dad.

'Ond mae *pawb* wedi cael Ci Hip-Hop Robot,' nadodd Henri. 'Pawb ond *fi*.'

Cerddodd Henri i ffwrdd gan stampio'i draed. Sut oedd e'n mynd i gael arian?

A! Tybed a allai e *berswadio* Alun i roi arian iddo? Roedd llwyth o arian gan Alun, achos doedd e byth yn gwario dim.

Ie! Beth am gipio Bwni-bwn Alun a mynnu arian amdano? Neu ddweud wrth Alun fod ysbryd yn ei stafell, ac yna cael ei dalu am yrru'r ysbryd i ffwrdd. Neu orfodi Alun i gyfrannu tuag at Plentyn mewn Angen, hoff elusen Henri … Ci Hip-Hop Robot, dyma fi'n dod, meddyliodd Henri Helynt, a tharanu i

mewn i stafell wely Alun.

Roedd Alun Angel a Tudur Taclus yn eistedd ar y llawr, ac yn sibrwd wrth ei gilydd. Roedd papurau dros y lle.

'Alli di ddim dod i mewn i'm stafell i,' meddai Alun.

'Gallaf,' meddai Henri, 'achos dwi yma'n barod. Pw, mae dy stafell di'n drewi.'

'Ti sy'n gwneud iddi ddrewi,' meddai Alun.

Penderfynodd Henri anwybyddu'r geiriau cas.

'Be ti'n wneud?'

'Dim,' meddai Alun.

'Mae Alun a fi'n sgrifennu papur newydd, fel yr awgrymodd Mrs Lletchwith yn y gwasanaeth,' meddai Tudur. 'Mae 'na golofn o'r enw *Tacluso gyda Tudur* yn ein papur newydd ni,' ychwanegodd yn falch.

'Eich papur drewi chi, ti'n feddwl,' meddai Henri.

'Nage,' meddai Alun.

Snwffiodd Henri. 'Beth yw enw'r papur?'

'*Papur Perffaith Plant Prysur*,' meddai Alun.

'Enw stiwpid,' meddai Henri.

'Dyw e ddim yn stiwpid,' meddai Alun. 'Dwedodd Miss Annwyl ei fod e'n enw perffaith.'

'Alun, mae gen i syniad da ar gyfer dy bapur di,' meddai Henri.

'Beth?' gofynnodd Alun yn ofalus.

'Rho fe ar waelod bocs pw-pw Fflwffi'r gath.'

'MAAAAM!' sgrechiodd Alun. 'Mae Henri'n dweud pethau cas.'

'Paid â bod yn ddrwg, Henri!' gwaeddodd Mam.

'Mae Alun yn pw-pw, mae Alun yn pw-pw,' canodd Henri.

Ond yna fe wnaeth Alun rywbeth

rhyfedd iawn. Yn lle sgrechian am Mam, fe ddechreuodd Alun sgrifennu.

'Fe fydd pawb sy'n prynu'r papur yn gwybod pa mor gas wyt ti nawr,' meddai Alun, gan ollwng ei bensil.

Prynu? *Prynu?*

'Byddwn ni'n gwerthu'r papur yn yr ysgol fory,' meddai Tudur. 'Mae Miss Annwyl wedi dweud y gallwn ni.'

Gwerthu? *Gwerthu?*

'Gad i fi weld,' meddai Henri, a chipio'r papur o law Alun.

Dyma brif bennawd *y Papur Perffaith*:

ENW ALUN YN LLYFR Y PLANT ARBENNIG AM Y PEDWERYDD TRO MEWN MIS

Snwffiodd Henri Helynt. Y crinc, meddyliodd. Ac yna fe welodd bennawd arall.

COSB I'R BACHGEN CAS

Dyw Henri ddim yn cael chwarae gemau ar y cyfrifiadur heddiw, ar ôl bod yn gas wrth ei frawd Alun a'i alw'n 'trôns-tila' a 'pw-pw'. Mae'r Papur Perffaith yn gobeithio bod Henri wedi dysgu gwers, ac na fydd e mor gas yn y dyfodol.

'Rwyt ti'n mynd i … *werthu* hwn?' tagodd Henri. Roedd Alun yn mynd i lusgo'i enw drwy'r baw. Gwaeth na baw! Byddai pawb yn gwybod ei fod e'n frawd i fwydyn bach sleimi. Ac yn waeth fyth, falle byddai rhai'n *credu* celwyddau Alun.

Ac yna'n sydyn fe gafodd Henri Helynt syniad gwych, anhygoel. Beth am sgrifennu ei bapur newydd ei hun? Byddai pawb am brynu'r papur. Byddai Henri'n gyfoethog!

Enw'r papur fyddai *Arswyd yr Awr*, a'r pris 25c y copi. Os gallai sgrifennu saith

rhifyn y dydd, a gwerthu pob copi i 500 o
bobl, byddai'n ennill … byddai'n ennill …
wel, doedd e ddim yn dda iawn am luosi,
ond yn bendant byddai'n gwneud *llwyth* o
arian!!!!!!

Ar y llaw arall roedd sgrifennu saith
rhifyn y dydd, bob dydd, yn swnio'n
waith caled. Yn waith caled iawn, iawn.
Beth am *Y Dyrnwr Dyddiol* yn lle? Gallai
godi pris llawer uwch am bob copi, a
gwneud llawer llai o waith. Ie!
Hmm. Roedd *Yr Winc Wythnosol* yn

well. Na, *Y Malu Misol*.

Neu falle *Clec y Llaw Biws*.

Y Glec! Dyna enw da am bapur gwych!

Nawr beth allai e roi yn ei bapur? Newyddion wrth gwrs. Newyddion am gampau gwych Henri. A chlecs, cwis neu ddau, a chwaraeon.

Rhaid i fi gael pennawd da i ddechrau, meddyliodd Henri Helynt.

Beth am: MAE ALUN YN AFIACH? Pennawd da, meddyliodd Henri, ond doedd e ddim yn newydd. Roedd pawb yn gwybod bod Alun yn afiach. Sut oedd cael gafael ar storïau doedd *neb* yn eu gwybod?

Erbyn meddwl, doedd dim rhaid i newyddion fod yn wir, oedd e? Bod yn *newydd* oedd yn bwysig. A, waw, roedd gan Henri newyddion newydd sbon danlli!

ALUN YN Y CARCHAR

Mae'r brawd mwya afiach yn y byd yn y carchar. Cafwyd e'n euog o fod yn sinach drewllyd a'i ddedfrydu i dair blynedd o garchar, heb ddim ond bara a dŵr. Meddai'r *Glec*: 'Dylai fod wedi cael deg mlynedd.'

Y CLWB DIRGEL
YN CHWALU!!!

Mae'r Clwb Dirgel wedi chwalu. 'Mae Bethan mor bosi a phigog, does neb eisiau perthyn i'w chlwb,' meddai Sara.

'Ta-ta, wyneb-wynwns,' meddai Heledd.

Iawn, dyna'r dudalen newyddion yn llawn. Clecs, nesa.

Ond pa glecs? Pa sgandal? Yn anffodus doedd Henri ddim wedi clywed unrhyw sibrydion cas. Ond rhaid i gasglwr-clecs sgrifennu rhywbeth …

SIOC!
MRS LLETCHWITH
MEWN BICINI!

Gwelwyd Mrs Lletchwith yn cerdded i lawr y Stryd Fawr yn ei bicini smotiog newydd. A ddylai Prifathrawes ymddwyn fel hyn?

Y SGUTHAN A
SGRECH Y TOILED

Ddoe atseiniodd sgrechiadau erchyll o doiledau'r bechgyn. 'Help! Help! Mae bwystfil yn y tŷ bach!' sgrechiodd yr athrawes wallgo Miss Hen Sguthan. 'Mae ganddo grafangau blewog drew-og a thri phen!!'

PWY?

Pa athro nofio sopi-sops welwyd yn dawnsio'r tango gyda pha hen sguthan? Dyfalwch.

YCH-A-FI! MISS ANNWYL YN PIGO TRWYN

O na! Mae Miss Anwen Annwyl yn pigo'i thrwyn.

'Gweles i hi'n pigo'i thrwyn yn y dosbarth,' meddai Alun y carcharor.

'Ond dwedodd hi, "Fy nhrwyn i yw e, felly galla i ddal i'w bigo os dwi eisiau."'

NYRS YN CRAFU PEN

Cafodd Nyrs Lleuwen, y Lladdwr-Llau, ei hanfon adre o'r ysgol wythnos ddiwetha, am fod ei gwallt yn llawn llau.

Hwrê! Dim lladd-llau yn y dyfodol!

Dyna ddigon o glecs gwych am y tro, meddyliodd Henri Helynt. Nawr 'te, be arall? Tipyn bach o newyddion chwaraeon,

13

a dyna fe wedi gorffen. Erbyn y rhifyn
nesa fe fyddai ganddo stori gartŵn:
Anturiaethau Alun y Babi Clwt. A
chwis:

Pwy sy â'r pants mwya drewllyd yn yr
ysgol?

A. Alun
B. Bethan
C. Sara
Ch. Pob un ohonyn nhw!

Hwrê! meddyliodd Henri Helynt.
Dwi'n mynd i fod yn gyfoethog iawn,
iawn, iawn, iawn, iawn.

Fore trannoeth fe ofalodd Henri
gyrraedd yr ysgol yn gynnar iawn. Hip-
Hop Robot, dyma fi'n dod, meddyliodd
Henri Helynt, gan lusgo pentwr o *Glecs*

i mewn i'r buarth. Ac yna fe stopiodd yn stond. Roedd e newydd weld rhywbeth erchyll.

Roedd Bethan Bigog a Sara Sur yn sefyll yng nghanol y buarth yn chwifio darnau mawr o bapur.

'Dewch yn llu, dewch i ddarllen amdana i, Bethan, capten newydd tîm pêl-droed yr ysgol,' bloeddiodd Bethan Bigog. 'Dewch i brynu'r *Dagr Dyddiol*. Dim ond 25c!'

Mae hi wedi copïo fy syniad i, meddyliodd Henri Helynt. Roedd e'n gynddeiriog.

'Pwy fyddai eisiau darllen *hwnna*?' gwawdiodd Henri Helynt.

'Pawb,' meddai Sara.

Cipiodd Henri Helynt gopi.

'Y pris yw 25c, Henri,' meddai Bethan.

Chymerodd Henri ddim sylw, dim ond syllu ar y pennawd:

CLOD ARBENNIG I BETHAN

Mae Bethan, y chwaraewr gorau a fu erioed yn yr ysgol hon, wedi curo pob un o'i gwrthwynebwyr pathetig a chael ei phenodi'n gapten tîm pêl-droed yr ysgol! Da iawn, Bethan! Curodd pawb eu dwylo am oriau ar ôl i Mrs Lletchwith gyhoeddi'r newyddion ardderchog.

Cytunodd Bethan i roi cyfweliad ecscliwsif i'r *Dagr Dyddiol*:

'Mae'n anodd bod yn ferch mor ddawnus,' meddai Bethan. 'Mae pobl mor genfigennus, yn enwedig penbwl pw-i plorog fel Henri.'

'Am rwtsh!' meddai Henri Helynt, a gwasgu papur Bethan yn belen.

'Dyw'n cwsmeriaid ni ddim yn cytuno,' meddai Bethan. 'Dwi'n gwneud *llwyth* o arian. Cyn pen chwinciad fe fydda i wedi cael y Ci Hip-Hop Robot cynta. A fyddi di ddi-im,' canodd.

'Gawn ni weld,' meddai Henri Helynt. 'Y Sguthan a Sgrech y Toiled! Dewch i ddarllen!' bloeddiodd. 'Y newyddion a'r clecs diweddara. Dim ond 25c.'

'Newyddion! Newyddion!' sgrechiodd
Bethan. 'Dewch i brynu! Dewch i brynu!
Dim ond 24c.'

'Prynwch y *Papur Perffaith*!' galwodd
llais bach Alun. 'Dim ond 5c.'

Prynodd Huw Haerllug *Y Glec*.
Prynodd Bedwyr Breuddwyd gopi hefyd,
a Sam Siriol.

Cerddodd Donna Ddiog tuag at
Bethan.

'Hei, Donna, paid â phrynu'r rwtsh 'na,'
gwaeddodd Henri. '*Fi* sy â'r newyddion
a'r clecs gorau.' Sibrydodd Henri yng
nghlust Donna. Agorodd ceg Donna led y
pen ac fe estynnodd hi 25c i Henri.

'Paid â gwrando arno fe!' gwichiodd
Bethan.

'Prynwch y *Papur Perffaith*,' canodd
Alun Angel. 'Siart lysiau am ddim.'

'Bethan, wyt ti wedi gweld be mae
Henri Helynt wedi'i sgrifennu amdanat

ti?' gofynnodd Heledd Hardd yn syn.

'Beth?' Cipiodd Bethan gopi o'r *Glec*.

CHWARAEON
SIOC YN Y BYD PÊL-DROED

Am sioc i bawb! Chafodd Henri mo'i wneud yn gapten y tîm pêl-droed.

'Mae'n warthus,' meddai Bedwyr.

'Dychrynllyd,' meddai Swyn.

Drwy lwc fe gafodd *Y Glec* gyfweliad ecscliwsif gan Henri.

'Mae'r dewis o gapten yn dangos bod Miss Hen Sguthan drwyn-moron yn hollol hurt,' meddai Henri.

Meddai'r *Glec*: **Gwnewch Henri'n gapten!**

'Beth!' sgrechiodd Bethan. 'Wnaeth Bedwyr a Swyn ddim dweud y fath beth.'

'Ond yn dawel bach roedden nhw'n

meddwl hynny,' meddai Henri. Syllodd yn gas ar Bethan Bigog.

Syllodd Bethan Bigog yn gas ar Henri Helynt.

Estynnodd Henri ei law tuag at wallt Bethan Bigog.

Estynnodd Bethan ei throed tuag at goes Henri.

Yn sydyn cerddodd Mrs Lletchwith i mewn i'r buarth. Yn cerdded yn ei hymyl roedd dyn difrifol yr olwg, yn gwisgo siwt ac yn cario llyfr nodiadau. Roedd Miss Hen

Sguthan a Miss Annwyl yn dilyn.

A! Cwsmeriaid newydd, meddyliodd Henri, wrth i'r pedwar anelu amdano.

'Prynwch eich papur ysgol fan hyn!' gwaeddodd Henri. 'Dim ond 50c.'

'Newyddion! Newyddion!' sgrechiodd Bethan. 'Dewch i brynu. Dewch i brynu. 49c.'

'Prynwch y *Papur Perffaith*,' canodd Alun. 'Dim ond 5c.'

'Wel, wel,' meddai'r dyn dieithr. 'Beth yw hyn, Mrs Lletchwith?'

Gwenodd Mrs Lletchwith yn falch. 'Dyma dri o'n disgyblion gorau yn dangos eu menter busnes,' meddai.

Meddyliodd Henri fod ei glustiau wedi disgyn i'r llawr. Disgybl gorau? A pham oedd Mrs Lletchwith yn gwenu arno? Doedd Mrs Lletchwith *byth* yn gwenu arno.

'Alun, dwed wrth yr arolygydd beth wyt

21

ti'n wneud,' meddai Miss Annwyl.

'Dwi wedi sgrifennu fy mhapur
newydd fy hun er mwyn codi arian tuag
at yr ysgol,' meddai Alun Angel.

'Ardderchog, Mrs Lletchwith,' meddai'r
arolygydd ysgolion, gan wenu.
'Ardderchog iawn. A beth amdanat ti,
ddyn ifanc?' gofynnodd, a throi at Henri.

'Dwi'n gwerthu fy mhapur i i godi
arian tuag at Plentyn mewn Angen,'
meddai Henri Helynt. Angen Hip-Hop

Robot, meddyliodd. 'Sawl un hoffech chi?'

Estynnodd yr arolygydd ysgolion ddarn 50c a chymryd papur.

'Dwi'n dwlu ar bapurau ysgol,' meddai, a dechrau darllen. 'Dyna'r ffordd orau i ddarganfod beth yn union sy'n digwydd mewn ysgol.'

Tagodd yr arolygydd ysgolion, a throi at Mrs Lletchwith.

'Bicini smotiog? Be wyddoch chi am hyn?' meddai'r Arolygydd.

'Bicini …smotiog?' meddai Mrs Lletchwith.

'Tango?' crawciodd Miss Hen Sguthan.

'Pigo trwyn?' gwichiodd Miss Annwyl.

'Ond does dim pwynt sgrifennu am bethau mae pawb wedi'u clywed yn barod,' protestiodd Henri Helynt yn ddiweddarach yn swyddfa Mrs Lletchwith. 'Rhaid i newyddion fod yn newydd.'

Arhoswch chi tan y rhifyn nesa …

2

YSGOL BETHAN BIGOG

'Gwranda'n astud, Sara,' sgrechiodd Bethan Bigog, 'neu fe gei di fynd yn syth at y brifathrawes.'

'Dwi *yn* gwrando,' meddai Sara Sur.

'Dwi wedi diflasu,' meddai Henri Helynt. 'Dwi eisiau chwarae môr-ladron.'

'Tawelwch,' meddai Bethan Bigog, a tharo'r ddesg â'i phren mesur.

'Dwi eisiau bod yn athrawes,' meddai Sara.

'Na,' meddai Bethan.

'Fe wna *i* fod yn athro,' meddai Henri.

Roedd e'n mynd i yrru'r plant allan i chwarae ar unwaith, a dweud wrthyn nhw am redeg nerth eu traed.

'Wyt ti'n wallgo?' cyfarthodd Bethan.

'Ga i fod yn athro?' gofynnodd Alun Angel.

'NA!' gwaeddodd Bethan, Sara a Henri.

'Pam na alla i fod yn brifathrawes?' meddai Sara'n sur.

'Achos,' meddai Bethan.

'Achos beth?' meddai Sara.

'Achos *fi* yw'r brifathrawes.'

'Ond alli di ddim bod yn brifathrawes *ac* yn athrawes,' meddai Sara. 'Dyw hynny ddim yn deg.'

'Mae'n deg dros ben, achos mi fyddet ti'n brifathrawes ofnadwy,' meddai Bethan.

'Fyddwn i ddim!'

'Byddet!'

'Dylen ni fod yn brifathrawes am yn ail,' meddai Sara.

'Hwnna,' meddai Bethan, 'yw'r syniad mwya twp glywes i erioed. Ydy Mrs Lletchwith yn brifathrawes *am yn ail*? Choelia i byth.'

Cwynodd dosbarth Bethan yn wrthryfelgar ar y carped ym mhabell y Clwb Dirgel.

'Blant, dwi'n barod i gofrestru,' meddai Bethan drwy'i thrwyn. 'Sara?'

'Yma.'

'Alun?'

'Yma.'

'Henri?'

'Yn y tŷ bach.'

Gwgodd Bethan.

'Unwaith eto. Henri?'

'Wedi diflannu i lawr y pan.'

'Am y tro ola,' meddai Bethan yn chwyrn. 'Henri?'

'Wedi marw.'
Rhoddodd
Bethan groes fawr
ar y gofrestr.

'Fe ga i air â ti
yn y funud.'

'Pwy ddwedodd
fod gen *ti* hawl i fod yn fòs?'
mwmianodd Henri Helynt.

'Fy nhŷ *i* yw hwn, a *fi* sy'n dewis beth
i'w chwarae,' meddai Bethan Bigog. 'A
dwi eisiau chwarae ysgol.'

Gwgodd Henri Helynt. Bob tro roedd
Bethan Bigog yn dod i'w dŷ *e*, hi oedd
yn cael dewis am mai hi oedd y gwestai.
Ond pan oedd Henri'n mynd i'w thŷ hi,
Bethan oedd y bòs, am mai'i thŷ *hi* oedd
e. Yyyyych. Pam o pam oedd e'n gorfod
byw drws nesa i Bethan Bigog?

Roedd gan Mam waith pwysig i'w
wneud, ac roedd raid iddi gael tawelwch

llwyr, felly
roedd hi
wedi
dympio
Henri ac
Alun yn nhŷ
Bethan.
Roedd Henri
wedi begian am
gael mynd i dŷ Huw, ond roedd Huw
wedi mynd i weld ei dad-cu a'i fam-gu.
Nawr roedd e'n gorfod dioddef yr hen
gonen bigog gas am ddiwrnod cyfan.
Roedd hi'n ddigon anodd gorfod treulio
wythnos yng nghwmni Miss Hen
Sguthan, heb feddwl am wastraffu'i
ddydd Sadwrn hyfryd yn nhŷ Bethan. Ac
yn waeth fyth, gorfod chwarae ysgol.

'Dewch i ni chwarae môr-ladron,'
meddai Henri. 'Fi yw Barti Ddu. Alun,
cerdda ar y plancyn!'

31

'Na,' meddai Bethan. 'Dwi ddim eisiau.'

'Ond fi yw'r gwestai,' protestiodd Henri.

'Caws caled,' meddai Bethan. 'Fy nhŷ *i* yw hwn a *fi* sy'n gosod y rheolau.'

'Ie, Henri,' meddai Sara.

'A dwi wrth fy modd yn chwarae ysgol,' meddai Alun Angel. 'Mae gwneud symiau'n hwyl.'

Grrr. Petai Henri ond yn gallu dianc adre. Ond roedd Mam wedi dweud, 'Dwi am gael adroddiad da amdanat ti, neu chei di ddim mynd i barti bowlio

Bedwyr heno. Chwarae teg i Bethan a'i mam am eich gwahodd chi'ch dau draw.'

'Ond dwi ddim eisiau mynd i dŷ Bethan!' nadodd Henri. 'Dwi eisiau aros gartre a gwylio'r teledu!'

'N-A, sef na,' meddai Mam, a'i wthio drwy'r drws yn cicio a sgrechian. 'Fe gei di ddod adre am bump o'r gloch i baratoi ar gyfer parti Bedwyr, a dim eiliad yn gynt.'

Syllodd Henri Helynt yn hiraethus dros y wal. Roedd ei dŷ e'n edrych mor groesawgar. Ffenest ei stafell wely'n disgleirio mor hyfryd. Ei deledu bach unig yn swatio ar ei ben ei hun yn y stafell fyw, ac yn ymbil ar i Henri fynd ato a gwasgu'r botwm. Ei deganau gwych, yn disgwyl

amdano. Dyna beth od, meddyliodd
Henri Helynt. Pan fydda i yn fy stafell,
dwi'n meddwl bod fy nheganau'n
ddiflas. Ond pan fydda i fan hyn yn nhŷ
Bethan, alla i ddim aros i fynd adre i
chwarae â nhw.

A! Beth am guddio yn ei gaer tan
bump o'r gloch? Ie! Wedyn cerdded i
mewn i'r tŷ, ac esgus ei fod e newydd
adael drws nesa. Ond byddai mam
Bethan yn siŵr o ffonio Mam i ddweud
bod Henri wedi diflannu, a byddai Henri
mewn helynt. Helynt mawr, mawr.
Helynt mawr, mawr, dim-parti-Bedwyr-
i-ti-heno.

Neu fe allai esgus bod yn sâl. Roedd
mam Bethan mor ffysi, mi fyddai'n siŵr
o'i anfon adre ar unwaith. Ieee! Syniad
clyfar. A hawdd hefyd. Dim ond iddo
beswch yn uchel, gwasgu'i fol yn
dramatig, a rhedeg i'r tŷ bach, mi gâi ei

34

anfon adre ar unwaith a…wps. Fe gâi ei
yrru i'r gwely. Dim parti. Dim pitsa. Dim
bowlio. A doedd dim pwynt bod yn sâl
dros y *penwythnos*, oedd e? Na, doedd
dim dianc.

Trawodd Bethan Bigog y bwrdd â'i
phren mesur.

'Dwi am i bawb sgrifennu stori,'
meddai Bethan.

Stori? Fe gâi hi stori. Cydiodd Henri
Helynt mewn darn o bapur a phensil a
dechrau sgriblan.

'Pwy sy am ddarllen ei stori i'r
dosbarth?' meddai Bethan.

'Fi,' meddai Henri.

Unwaith roedd 'na greadur diflas a grwgnachlyd o'r enw Bethan. Cafodd Bethan ei geni'n froga, ond fe wnaeth dewin hyll felltithio'r broga a'i droi yn Bethan.

'Dyna ddigon, Henri,' chwyrnodd Bethan. Chymerodd Henri ddim sylw.

'Ribit ribit,' meddai Bethan Broga. 'Ribit ribit ribit.' Roedd pawb yn y deyrnas yn gwneud eu gorau i gael gwared o'r bwystfil crawclyd, pigog. Ond roedd hi'n drewi mor ofnadwy, allai neb fynd yn agos ati. Ac yna un diwrnod fe ddaeth arwr o'r enw Henri Hy. Gwasgodd ei drwyn, cydio yn Bethan Bwystfil a'i hyrddio i'r gofod pell. Yno fe ffrwydrodd hi, a welodd neb hi byth wedyn.

Y DIWEDD

Chwarddodd Sara. Edrychodd Bethan yn gas.

'Rwyt ti wedi methu,' meddai Bethan.

'Pam?' gofynnodd Henri Helynt yn ddiniwed.

'Achos,' meddai Bethan, 'fi yw'r athrawes, a dwi'n dweud ei bod hi'n stori ddiflas.'

'Wyt ti'n meddwl bod y stori'n ddiflas,

Alun?' mynnodd Henri.

Gwingodd Alun yn nerfus.

'Wyt ti?' meddai Bethan.

'Wel, y...mmmm, dwi'n meddwl bod fy stori i'n well,' meddai Alun.

Unwaith roedd 'na gadach llestri o'r enw Ceri. Roedd e'n gadach llestri bach trist iawn, achos doedd ganddo ddim llestri i'w sychu. Un diwrnod fe ffeindiodd e bentwr o lestri gwlyb. Swish, swish, swish, roedden nhw'n sych mewn chwinciad. 'Hwrê,' meddai Ceri Cadach. 'Tybed pryd...'

'Diflas!' gwaeddodd Henri Helynt.

'Ardderchog, Alun,' meddai Bethan Bigog. '*Llawer* gwell nag un Henri.'

Darllenodd Sara stori am ei chath.

Mae Pwsi-pws, fy nghath i, yn fawr ac yn dew. Mae hi'n dweud miaw. Un diwrnod fe welodd Pwsi-pws gi. Miaw, meddai Pwsi-pws. Bow wow, meddai'r ci. Rhedodd Pwsi-pws i ffwrdd. Rhedodd y ci i ffwrdd hefyd. Y diwedd.

'Barod, ddosbarth, dyma'ch marciau,' meddai Bethan Bigog. 'Alun sy'n cael y wobr gyntaf.'

'Ieee!' meddai Alun Angel.

'*Beth?*' meddai Sara. 'Roedd fy stori i'n well o lawer.'

'Sara ddaeth yn ail, a Henri'n nawfed.'

'Dim ond tri sy yn y dosbarth,' protestiodd Henri Helynt. 'Sut galla i fod yn nawfed?'

'Achos bod dy stori di'n arbennig o wael,' meddai Bethan. 'Nawr dwi wedi paratoi taflenni gwaith. Dim siarad neu chewch chi ddim mynd allan i chwarae.'

'Hwrê!' meddai Alun Angel. 'Dwi'n hoffi taflenni gwaith. Oes 'na waith sillafu caled, caled?'

Roedd Henri Helynt wedi cael llond bol. Roedd hi'n bryd iddo droi'n Henri Hy a difetha'r hen wrach.

Gwasgodd Henri'i daflen yn belen a sefyll ar ei draed.

'Dim ond esgus bod yn blentyn o'n i,' gwaeddodd Henri. 'Fi yw'r arolygydd ysgolion. A dwi'n cau'r ysgol i lawr. Mae hi'n warthus.'

Cymerodd Bethan anadl fawr.

'Rwyt ti'n hen gonen bigog, ac yn athrawes arswydus,' meddai'r arolygydd.

'Dwi ddim,' meddai Bethan.

'Dyw hi ddim,' meddai Sara.

'Tawelwch! Mae'r arolygydd yn siarad.
Ti yw'r athrawes waetha welais i erioed.
Sut gallet ti roi mwy o farciau i stori
ddwl am gadach llestri nag i stori wych
am ddewin drwg?'

'Fi yw'r brifathrawes,' meddai Bethan.
'Alli di ddim dweud wrtha i beth i'w
wneud.'

'Fi yw'r arolygydd,' meddai Henri.
'Dwi'n dweud wrth bawb beth i'w
wneud.'

'Anghywir, Henri,' meddai Bethan,
'achos fi yw'r *prif* arolygydd ysgolion, a
dwi'n dy arolygu *di*.'

'Dwyt ti ddim,' meddai Henri.

'O ydw,' meddai Bethan.

'All arolygydd ddim bod yn brifathrawes ac yn athrawes, felly caws caled i ti,' meddai Henri.

'Fe alla i,' meddai Bethan.

'Alli di ddim, achos fi yw'r brenin a dwi'n dy garcharu di yn y Tŵr!' sgrechiodd y Brenin Henri Hergwd.

'Fi yw'r ymerodres!' taranodd Bethan. 'Cer i'r carchar.'

'Fi yw brenin y bydysawd. I ffwrdd â ti i'r pwll nadroedd,' bloeddiodd Henri.

'Fi yw brenhines y bydysawd, a dwi'n mynd i dorri dy ben di i ffwrdd!'

'Dwi'n mynd i dorri dy ben di gynta!' bloeddiodd y brenin a rhoi plwc i wallt y frenhines.

Sgrechiodd y frenhines a chicio'r brenin.

Sgrechiodd y brenin a chicio'r

frenhines.

'MAM!' llefodd Bethan.

Rhedodd mam Bethan i mewn i babell y Clwb Dirgel.

'Be sy'n bod ar cwtshi-cwtsh fach Mami?' meddai mam Bethan.

'Mae Henri'n pallu chwarae fy ngêm i,' meddai Bethan. 'Ac fe giciodd e fi.'

'Hi giciodd fi gynta,' meddai Henri.

'Os na allwch chi blant fod yn ffrindiau, bydd raid i fi'ch anfon chi i gyd adre,' meddai mam Bethan yn llym.

'Na!' meddai Alun.

Anfon … adre. Ieee! Fe wna i i Bethan
sgrechian nes bod y lle'n tasgu,
meddyliodd Henri. Fe ddweda i wrth ei
mam fod y tŷ'n drewi o bw-pw. Fe
allai… fe wna..

Ond petai e'n cael ei anfon adre am
fod yn ddrwg, byddai Mam a Dad o'u
co. Dim gobaith am bitsa na pharti
bowlio.

Heblaw …heblaw … Gwibiodd
cynllun mentrus drwy ben Henri.
Cynllun peryglus. Cynllun a allai fethu'n
hawdd. Ond gwell mentro na dioddef.

'Mae syched arna i,' meddai Henri, a
rhedeg o'r babell cyn i Bethan ddweud
gair.

Aeth Henri i'r gegin i chwilio am fam
Bethan.

'Dwi'n poeni am Bethan. Mae hi'n

edrych yn sâl,' meddai Henri.

'O, ydy Bethan-bwni'n sâl?' llefodd
mam Bethan.

'Mae hi'n siarad yn od,' meddai
Henri'n drist. 'Dwedodd hi wrtha i: "Fi
yw brenhines y bydysawd a dwi'n mynd
i dorri dy ben di i ffwrdd.'

'Fyddai Bethan *byth* yn dweud y fath
beth,' meddai'i mam. 'Mae hi bob amser
yn chwarae mor hyfryd. A does neb
tebyg iddi am rannu.'

Nodiodd Henri Helynt. 'Dwi'n gwybod. Dyna pam dwi'n meddwl ei bod hi'n sâl. Falle'i bod hi wedi dal rhywbeth oddi wrth Alun.'

'Ydy Alun wedi bod yn sâl?' gofynnodd mam Bethan. Roedd hi'n edrych yn welw.

'O ydy,' meddai Henri'n gelwyddog. 'Mae e wedi bod yn taflu i fyny, a– a– wel, mae pawb wedi cael amser caled. Ond dwi ddim yn credu ei fod e'n heintus iawn.'

'Taflu i fyny?' meddai mam Bethan

mewn llais bach.

'A gwneud llond toiled o bw-pw,' meddai Henri.

Roedd mam Bethan mor wyn â'r galchen.

'Pw-pw?'

'Ond mae e'n well o lawer erbyn hyn,' meddai Henri. 'Dyw e ddim ond wedi rhedeg i'r toiled bum gwaith ers i ni gyrraedd.'

Roedd mam Bethan bron â llewygu. 'Mae Bethan fach mor ddelicêt… alla i ddim mentro…' gwichiodd. 'Dwi'n meddwl y dylet ti ac Alun fynd adre ar unwaith. Bethan! Bethan! Dere 'ma glou,' gwaeddodd.

Doedd dim rhaid dweud ddwywaith wrth Henri Helynt. Roedd yr ysgol wedi cau!

Aaaa, meddyliodd Henri Helynt yn

hapus, ac estyn am reolwr y teledu.
Dyma'r ffordd i fyw. Roedd Bethan wedi
cael ei gyrru i'r gwely. Roedd e ac Alun
wedi cael eu gyrru adre. Roedd digon o
amser i wylio *Gari Gwallgo* a'r *Lladdwr
Lloerig* cyn mynd i barti Bedwyr.

'Alla i ddim help fod Bethan yn
teimlo'n sâl, Mam,' meddai Henri Helynt.
'Gobeithio nad ydw i ddim wedi dal
unrhyw beth oddi wrthi *hi*.'

Wel, wir.

Roedd Mam *mor* hunanol.

3

PARTI MÔR-LADRON ALUN ANGEL

'Nawr 'te, gadewch i ni weld,' meddai Mam, ac edrych ar ei rhestr, 'bydd eisiau baneri môr-ladron, darnau wyth, cleddyfau, cistiau trysor, patshys llygaid, platiau penglog-ac-esgyrn. Unrhyw beth arall?'

Safodd Henri'n stond ar ganol cnoi'i fwyd. Waw! Am unwaith roedd Mam yn siarad am rywbeth pwysig. Doedd Parti Môr-ladron y Llaw Biws ddim tan fis nesa, ond doedd hi byth yn rhy gynnar i baratoi ar gyfer parti pen-blwydd gorau'r flwyddyn. Na, gorau'r ganrif.

Ond, hei, roedd Mam wedi anghofio'r
cytlasau. Roedd angen sawl cytlas ar gyfer y
frwydr fawr roedd Henri'n ei chynllunio. A
beth am y llwyth o sôs tomato i wneud
gwaed ffug? A ble oedd y bwcedi o losin?

Agorodd Henri'i geg i ddweud wrth
Mam.

'O da iawn, Mam,' meddai llais bach
Alun Angel ar ei draws. 'Ond paid ag
anghofio'r napcynau môr-leidr.'

'Napcynau. Iawn,' meddai Mam, gan
wenu.

Y?

'Dwi ddim eisiau napcynau yn fy mharti
i,' meddai Henri Helynt.

'Nid ar gyfer dy barti di mae'r rhain,'
meddai Mam. 'Ar gyfer parti Alun.'

BETH???

'Pam wyt ti'n sôn am barti Alun?'
gwichiodd Henri Helynt. Roedd e'n

teimlo fel petai llaw oer yn gafael am ei gorn gwddw. Roedd e'n cael trafferth i anadlu.

'Mae pen-blwydd Alun wythnos nesa, ac mae e'n cael parti môr-ladron,' meddai Mam.

Daliodd Alun ati i fwyta miwsli.

'Ond mae e'n cael parti Dwmplen Malwoden,' meddai Henri Helynt, a syllu'n gas ar Alun.

'Dwi wedi newid fy meddwl,' meddai Alun Angel.

'Ond fy syniad *i* oedd cael parti môr-ladron!' sgrechiodd Henri Helynt. 'Dwi wedi bod yn cynllunio ers wythnosau.

Copïwr! Copïwr!'

'Nid dy syniad arbennig di yw e,'
meddai Alun. 'Fe gafodd Deiniol barti
môr-ladron ar ei ben-blwydd e. Felly
dwi eisiau môr-ladron yn fy mhen-
blwydd i.'

'Henri, fe alli di gael parti môr-ladron
hefyd,' meddai Dad.

'NAAAAAA!' sgrechiodd Henri
Helynt. Allai e ddim cael parti môr-
ladron *ar ôl* Alun. Byddai pawb yn
meddwl ei fod e'n copïo'i frawd salw
sleimi.

Ymosododd Henri. Roedd e'n saeth
wenwynig yn gwibio at y targed.

BANG! Disgynnodd Alun oddi ar ei gadair.

CLEC! Cwympodd y bowlen miwsli i'r llawr.

'AAAEEEIIIII!' sgrechiodd Alun Angel.

'Edrych be wyt ti wedi'i wneud, y bachgen ofnadwy!' rhuodd Mam. 'Dwed sori wrth Alun.'

'WAAAAAAAAAA!' llefodd Alun.

'Na!' meddai Henri Helynt. 'Dwi ddim yn sori. Mae Alun wedi dwyn fy syniad i, a dwi'n ei gasáu e.'

'Iawn. Cer i dy stafell ac aros yno,' meddai Dad.

'Dyw hi ddim yn deg!' criodd Henri Helynt.

'Fuoch chi 'rioed yn morio? Fuoch chi 'rioed yn morio?' canodd Alun Angel wrth gerdded heibio'r drws roedd Henri newydd ei gau'n glep.

53

'Do, mewn padell ffrio!' sgrechiodd Henri Helynt. 'Ac fe fydd y badell ffrio'n disgyn ar dy ben di, os na wnei di GAU DY GEG!'

'Maaam! Dwedodd Henri '"Cau dy geg" wrtha i,' gwaeddodd Alun.

'Henri! Gad lonydd i dy frawd,' meddai Mam.

'Ti yw'r hyna. Alli di ddim bod yn gall am unwaith a gadael iddo gael ei barti heb ffwdan?' meddai Dad.

NA! meddyliodd Henri Helynt. Allai e ddim. Rhaid rhoi stop ar barti môr-ladron Alun Angel. Rhaid yn bendant.

Ond sut?

Gallai dalu ei frawd am newid ei feddwl. Ond yn anffodus doedd gan Henri ddim arian. Gallai addo bod yn garedig tuag at Alun. Na! Roedd hynny'n ormod. Doedd y copïwr crinclyd ddim yn haeddu caredigrwydd Henri.

54

Tybed a allai e *dwyllo* Alun i newid ei feddwl. Hmmmm. Gwenodd Henri. Hmmmmm.

Agorodd Henri Helynt ddrws stafell wely Alun Angel a cherdded i mewn yn hamddenol. Roedd Alun Angel yn brysur yn sgrifennu enwau ar y cardiau gwahoddiad IO HO HO. Yr union gardiau roedd e wedi'u dewis, sylwodd Henri. Ar bob un roedd llun môr-leidr â choes bren, yn chwifio cytlas ac yn edrych yn barod i neidio allan.

'Rwyt ti i fod aros yn dy stafell,' meddai Alun. 'Bydda i'n dweud wrth Mam a Dad.'

'Gwranda, Alun, dwi'n falch dy fod ti'n cael parti môr-ladron,' meddai Henri.

Stopiodd Alun sgrifennu.

'Wyt ti?' gofynnodd Alun yn ofalus.

'Ydw,' meddai Henri Helynt. 'Ti fydd yn dioddef melltith y canibal fôr-leidr nawr, ac nid fi.'

'Melltith y canibal fôr-leidr? Does dim o'r fath beth,' meddai Alun.

'Ti sy'n dweud,' meddai Henri Helynt. 'Ond paid â rhoi'r bai arna i, pan fyddi di'n ben bach crebachlyd yn hongian am wddw canibal.'

Celwydd noeth, meddyliodd Alun. Mae Henri'n trio 'nychryn i eto.

'Fe gafodd Deiniol barti môr-ladron, a wnaeth e ddim troi'n ben crebachlyd,' meddai Alun.

Ochneidiodd Henri.

'Naddo wrth gwrs, achos dyw ei enw

e ddim yn dechrau â'r llythyren A. Enw'r canibal fôr-leidr ddyfeisiodd y felltith oedd Gwil Gwaed Gwyllt. Edrych, mae ei lun ar dy gardiau di,' meddai Henri.

Ciledrychodd Alun ar y môr-leidr. Oedd e'n drysu, neu a oedd Gwil Gwaed Gwyllt yn edrych yn arbennig o filain a llwglyd? Gollyngodd Alun ei greon.

'Roedd ganddo frawd bach iychi o'r enw Alwyn,' meddai Henri. 'Fe oedd y cynta i gael ei droi'n ben crebachlyd gan Gwil Gwaed Gwyllt. Ers hynny mae'r felltith wedi taro pawb sy â'i enw'n dechrau ag A.'

'Dwi ddim yn dy gredu di, Henri,' meddai Alun. Roedd e'n gwybod bod Henri'n trio'i dwyllo. Roedd sawl un o'i ffrindiau wedi cael parti môr-ladron, a doedd dim un wedi troi'n ben crebachlyd.

Ar y llaw arall doedd enwau'i ffrindiau ddim yn dechrau ag A.

'Sut mae'r felltith yn gweithio?' gofynnodd Alun yn araf.

Edrychodd Henri Helynt o'i gwmpas. Yna, â'i fys ar ei wefus, fe gripiodd at gwpwrdd dillad Alun a thaflu'r drws ar agor. Neidiodd Alun.

'Dim ond gwneud yn siŵr nad yw

Gwil Gwaed Gwyllt yn y cwpwrdd,'
sibrydodd Henri. 'Nawr siarada'n dawel.
Cofia fod gwisgo fel môr-leidr, canu
caneuon môr-leidr, neu siarad am drysor,
yn debyg o ddeffro Gwil y canibal.
Weithiau – os wyt ti'n lwcus – dyw e'n
gwneud dim byd ond dwyn trysor. Ond
bryd arall mae e'n …YMOSOD,'
sgrechiodd Henri.

Trodd Alun yn wyn fel y galchen.

'Io ho ho hi hi, môr-leidr ydw i,'
canodd Henri Helynt. 'Io ho– wps. Sori!
Wna i ddim canu, rhag ofn i Gwil
neidio allan.'

'MAAAMMM!' llefodd Alun. 'Mae
Henri'n trio 'nychryn i!'

'Be sy'n bod nawr?' meddai Mam.

'Mae Henri'n dweud y bydda i'n
troi'n ben crebachlyd, os ca i barti môr-
ladron.'

'Henri, paid â bod mor gas,' meddai

Mam, gan hoelio'i llygaid ar Henri.
'Alun, does dim o'r fath beth.'

'Dwedes i wrthot ti, Henri,' meddai
Alun Angel.

'Petawn i yn dy le di, byddwn i'n cael
parti Dwmplen Mwydyn,' meddai Henri
Helynt.

'Dwmplen *Malwoden*,' meddai Alun.
'Dwi'n cael parti môr-ladron ta beth.
Ha!'

Grrr, meddyliodd Henri Helynt. Sut
oedd cael Alun i newid ei feddwl?

'Paid â m-e-e-entro,' udodd llais sbŵci
Henri o dan ddrws Alun bob nos.
'Cymer ofal! Cymer ofal!'

'Stopia hi, Henri!' sgrechiodd Alun.

'Byddi di'n difaru,' sgriblodd Henri
dros waith cartref Alun.

Paid â **m-e-e-entro**.

'Cofia felltith y canibal,' sibrydodd
Henri amser swper y noson cyn y parti.
'Henri, gad lonydd i dy frawd, neu chei
di ddim dod i'r parti,' meddai Mam.
Be? Dim darnau siocled? Gwgodd
Henri. Roedd e'n haeddu siocled o leia.
Roedd hyn mor annheg. Pam oedd raid
i Alun ddifetha popeth?

★

Roedd diwrnod parti Alun wedi dod.
Aeth Mam a Dad ati i hongian dwy faner

enfawr penglog-ac-esgyrn-croes y tu allan
i'r tŷ. Yr union faneri y dewises i ar gyfer
fy mharti *i*, sylwodd Henri'n sur. Roedden
nhw wedi addurno'r cytlasau ac wedi
bwyta'r gacen llong hwyliau. Dim ond un
peth oedd ar ôl. Roedd Alun a'i ffrindiau
erchyll, Tudur Taclus, Gerwyn Glân,
Gordon Gofalus, Sarisha Sionc, Cen
Caredig, Cai Cario-Clecs a Beti Bitw yn
mynd ar helfa drysor.

'Io ho ho hi hi, môr-leidr ydw i,'
canodd Henri Helynt. Roedd e'n gwisgo'i
sgarff â llun penglog, ei batshyn llygad, a'i

het enfawr â llun penglog ac esgyrn croes.
Roedd ei gytlas gwaedlyd yn disgleirio.

'Paid â chanu'r gân 'na,' meddai Alun.

'Pam, babi?' meddai Henri.

'Ti'n gwybod pam,' mwmianodd Alun.

'Fe wnes i dy rybuddio di rhag Gwil
Gwaed Gwyllt, ond wnest ti ddim
gwrando,' hisiodd Henri, 'a nawr…'
Tynnodd ei law ar draws ei wddw. 'Hei,
bawb, dewch i ni chwarae Rhoi Cynffon
ar Alun.'

'MAAAAAAAAMMMMMM!' llefodd
Alun.

'Bydd yn fachgen da, Henri,' meddai Mam drwy'i dannedd, 'neu chei di ddim cymryd rhan yn yr helfa drysor.'

Gwgodd Henri. Roedd y gist drysor yn llawn o ddarnau wyth wedi'u gwneud o siocled. Dyna'i unig reswm dros ddod i'r parti babïaidd.

Curodd Mam ei dwylo.

'Dewch, bawb. Dewch i chwilio drwy'r tŷ am y cliwiau sy'n dangos ble mae'r gist drysor,' meddai gan estyn sgrôl i Alun. 'Dyma'r un cyntaf.'

Lan y grisiau
Ewch yn hy,
Nes gweld y cliw
Sy yno i chi.

'Dwi wedi gweld cliw,' gwichiodd Cen Caredig, ac estyn am y sgrôl oedd yn hongian dros y canllaw.

Cripio i'r chwith,
A chripio i'r dde,
Mae 'na gliw.
Dyfalwch ble.

Rhuthrodd pawb i'r chwith ac yna i'r dde. Roedd bag yn hongian o fwlyn drws stafell Alun, a sgrôl y tu mewn iddo.

'Dwi wedi ffeindio'r map trysor!' gwaeddodd Sarisha Sionc.

'W, da iawn,' meddai Deiniol Da-da.

Safodd pawb mewn cylch a syllu ar yr hen sgrôl.

'Mae'r neges yn dweud wrthon ni am fynd i'r parc,' gwichiodd Gerwyn Glân. 'Edrychwch. Mae'r X yn dangos ble mae'r trysor wedi'i gladdu.'

Gan chwifio baner môr-leidr, fe arweiniodd Dad y criw drwy'r drws ac i lawr y ffordd i'r parc.

Rhedodd Henri drwy gatiau'r parc o

flaen pawb arall, a thynnu'i het môr-leidr
a'i batshyn llygad. Doedd e ddim eisiau i
neb wybod ei fod e'n rhan o barti môr-
ladron mor *fabïaidd*. Edrychodd i gyfeiriad
y swings. Oedd un o'i ffrindiau yno?
Whiw, na, dim ond un ferch fach yn
chwarae ar y llithren.

Cododd y ferch fach ei phen a syllu ar
Henri Helynt. Syllodd Henri Helynt yn ôl.
O-o!

O na.

Dechreuodd Henri ddianc. Roedd e'n rhy hwyr.

'Henwi!' gwichiodd y ferch fach. 'Henwi!'

Lili Lisblyd oedd y ferch fach. Hi oedd chwaer ofnadwy Dewi Newydd. Roedd Henri wedi cwrdd â Lili yn nhŷ Dewi adeg y parti dros-nos gwaetha erioed, ac roedd hi wedi…wedi…

'Henwi! Dwi'n dy gawu di, Henwi!' gwichiodd Lili Lisblyd a rhedeg ato.

'Wnei di 'mhwiodi i, Henwi?'

Trodd Henri Helynt ar ei sawdl. Rhedodd ar hyd y llwybr troellog ac i mewn i'r gerddi. Rhedodd Lili Lisblyd ar ei ôl. 'Henwi! Henwi!'

Plymiodd Henri i ganol clwstwr o lwyni tew a chuddio yno.

Cer i ffwrdd, plîs plîs plîs cer i ffwrdd, gweddïodd.

Arhosodd Henri yn ei unfan a'i galon yn carlamu. Yr unig sŵn i'w glywed oedd sŵn Alun a'i fôr-ladron yn dod tuag ato. Oedd Lili wedi mynd?

'Dwi'n meddwl bod y trysor draw fan hyn!' gwaeddodd Alun.

Whiw! Roedd e wedi cael gwared ar Lili. Roedd e'n ddiogel.

'Henwi?' meddai llais bach. 'Henwi! Ble wyt ti? Dwi am woi sws fawf i ti.'

AAAAAAAAAAAA!

Yna fe gofiodd Henri Helynt pwy

oedd e. Y bachgen oedd wedi achosi i
Miss Hen Sguthan gael ei gyrru i
swyddfa'r brifathrawes. Y bachgen oedd
wedi trechu'r fenyw ginio gythreulig .
Y bachgen oedd yn ofni dim (heblaw
pigiadau). Pam oedd e, brenin y môr-
ladron, yn cuddio rhag babi bitw bach?

Gwisgodd Henri ei het môr-leidr a
chydio yn y cytlas. Doedd dim amdani
ond ei dychryn hi i ffwrdd.

'AAAAARRRRRRRRRRR!'
rhuodd brenin y môr-ladron, gan neidio
i fyny ac ysgwyd ei gytlas gwaedlyd.

'AAAAAAAAAAAAA!' gwichiodd Lili
Lisblyd. Rhedodd am ei bywyd a tharo'n
erbyn Alun.

'Mô-ladwon! Mô-ladwon!' sgrechiodd,
a dianc ar ras.

Rhedodd ias oer ar hyd cefn Alun
Angel. Edrychodd ar y llwyni'n ysgwyd,
a gweld het penglog-ac-esgyrn-croes yn

codi rhwng y dail, a'r haul yn disgleirio ar gytlas gwaed-goch ...

'AAAAAAAAAAAAA!' sgrechiodd Alun. 'Gwil Gwaed Gwyllt!' Trodd ar ei sawdl a rhedeg.

'AAAAAAAAAAAAA!' sgrechiodd Tudur. Trodd ar ei sawdl a rhedeg.

'AAAAAAAAAAAAA!' sgrechiodd Gordon, Sarisha, a gweddill y criw. Troion nhw ar eu sodlau a rhedeg.

Y? meddyliodd Henri Helynt, a thrio dianc o'r llwyn.

Clec.

Trawodd troed Henri yn erbyn
rhywbeth caled. Yno'n cuddio mewn
pentwr o ddail o dan y llwyn roedd cist
drysor.

Ia-hwwwwww!

'Help!' sgrechiodd Alun Angel. 'Help!
Help!'

Rhedodd Mam a Dad ato.

'Be sy wedi digwydd?'

'Fe ymosododd môr-ladron arnon ni!' llefodd Sarisha.

'Rhedon ni am ein bywydau!' llefodd Gordon.

'Môr-ladron?' meddai Mam.

'Môr-ladron?' meddai Dad. 'Sawl un?'

'Pump!'

'Deg!'

'Cannoedd!' llefodd Beti Bitw.

'Paid â siarad dwli,' meddai Mam.

'Maen nhw wedi mynd nawr beth bynnag,' meddai Dad. 'Dewch i ni fynd i chwilio am y trysor.'

Agorodd Alun y map ac anelu am y clawdd agosa at y gât, lle'r oedd X enfawr ar y map.

'Mae gormod o ofn arna i,' gwichiodd.

Cripiodd Cen Caredig tuag at y gist drysor a chodi'r clawr. Daliodd pawb eu gwynt. Doedd dim ar ôl yn y gist ond peli bach o bapur aur.

'Mae'r trysor wedi mynd,' sibrydodd
Alun.

Yr eiliad honno dyma Henri Helynt
yn cerdded yn llon ar hyd y llwybr, gan
droi ei het am ei fys.

'Ble wyt ti wedi bod?' meddai
Mam.

'Yn cuddio,' meddai Henri Helynt,
heb air o gelwydd.

'Mae lladron wedi ymosod arnon ni,'
crawciodd Tudur.

'Môr-ladron,' gwichiodd Gordon.

'Wir?' meddai Henri Helynt.

'Maen nhw wedi dwyn y darnau wyth

i gyd,' llefodd Alun.

Ochneidiodd Henri Helynt.

'Fe wnes i'ch rhybuddio chi rhag melltith y canibal,' meddai. 'Diolchwch fod eich pennau'n dal ar eich ysgwyddau.'

Mmmmm, waw, roedd darnau siocled bob amser yn iymi, ond roedd darnau siocled wedi'u dwyn oddi ar fôr-ladron yn well fyth, meddyliodd Henri'r noson honno, gan wthio rhagor o siocled i'w geg.

Erbyn meddwl, roedd gormod o bobl yn cael partïon môr-ladron.

Beth am barti melltith canibal?

Hmmmmn …

4

HENRi HELYNT YN DWYN O'R BANC

'Dwi eisiau'r benglog!'

'Dwi eisiau'r benglog!'

'*Dwi* eisiau'r benglog!' meddai Henri Helynt, a syllu'n gas.

'Ti gafodd hi'r tro diwetha, Henri,' meddai Alun Angel. 'Dwi *byth* yn ei chael hi.'

'Ches i ddim.'

'Do, fe gest ti.'

'*Fi* yw'r gwestai, felly *fi* sy'n cael y benglog,' meddai Bethan Bigog, a'i chipio o'r bocs. 'Fe gei *di*'r grafanc.'

77

'NAAAAAAAA!' llefodd Henri. 'Mae'r benglog yn dod â lwc i fi.'

Cilwenodd Bethan. 'Ti'n gwybod yn iawn mai fi sy'n mynd i ennill, Henri, achos dwi'n ennill bob tro. Ha ha ha i ti.'

'Wyt ti eisiau bet?' mwmianodd Henri Helynt.

Dyma'r newyddion da. Roedd Henri'n chwarae *Sgrwmff*, y gêm fwrdd orau yn y byd i gyd. Roedd Henri Helynt yn dwlu ar *Sgrwmff*. Roeddech chi'n rholio'r dis ac yn teithio rownd y bwrdd yn casglu trysor, yn prynu ffeuau dreigiau, ac yn gobeithio na fyddech chi'n glanio ar ffau'r gelyn nac yn y Dwnjwn.

Dyma'r newyddion drwg. Roedd Henri Helynt yn gorfod chwarae *Sgrwmff* yn erbyn hen benbwl bach blin babïaidd, sef ei frawd.

Ond roedd 'na newyddion gwaeth. Roedd Bethan Bigog, twyllwr mwya'r

byd, yn chwarae hefyd. Roedd mam
Bethan wedi mynd allan am y prynhawn,
ac wedi dympio Bethan yn nhŷ Henri.
Pam o pam oedd raid iddi ddod i chwarae
gyda nhw? Pam na fyddai'i mam wedi'i
dympio yn y bin, sef y lle gorau i Bethan
Bigog?

Yn anffodus, y tro diwetha iddyn nhw
chwarae *Sgrwmff*, roedd Bethan wedi
ennill. Roedd Bethan wedi ennill un,
dwy, tair, pedair, pum gwaith yn olynol.
Roedd Bethan yn chwaraewr *Sgrwmff* heb
ei hail.

Ond roedd pethau'n mynd i newid.

Roedd Henri'n benderfynol o'i churo'r tro hwn. Roedd Henri Helynt yn casáu colli. Rywsut neu'i gilydd roedd e'n mynd i ennill. Roedd Bethan Bigog wedi'i guro am y tro ola.

'Pwy yw'r banciwr?' meddai Alun Angel.

'Fi,' meddai Bethan.

'Fi,' meddai Henri. Roedd hi'n braf bod yn fanciwr. Gallai'r banciwr ddwyn trysor y banc a'i roi yn ei bentwr ei hun pan doedd neb yn gwylio.

'Fi yw'r gwestai, felly *fi* yw'r banciwr,' meddai Bethan. 'Fe gei di ofalu am y dreigiau.'

Roedd llaw Henri Helynt yn ysu am roi plwc i wallt Bethan. Ond byddai Bethan yn siŵr o sgrechian a sgrechian. Wedyn byddai Mam yn gyrru Henri i'w stafell wely, ac yn gwrthod rhoi'r gêm

Sgrwmff yn ôl iddo, nes oedd Henri'n hen ac yn foel ac wedi marw.

'Os cyffyrddi di â thrysor rhywun arall, fe fwyda i di i'r dreigiau,' hisiodd Henri.

'Os gwela i di'n dwyn wyau dreigiau rhywun arall, fe fydd hi ar ben arnat ti,' hisiodd Bethan.

'Os wyt ti'n fanciwr a Henri'n ofalwr y dreigiau, pwy ydw i?' meddai Alun Angel.

'Llyffant,' meddai Henri. 'Os wyt ti'n lwcus.'

Cipiodd Henri Helynt y ddau ddis. 'Fi

gynta.' Roedd gan y chwaraewr cynta
well cyfle i brynu'r ffeuau gorau, fel Agen
Arswyd neu'r Encil Erchyll.

'Na,' meddai Bethan. 'Fi gynta.'

'Fi yw'r ieuenga, felly fi ddylai fynd
gynta,' meddai Alun.

'Fi!' meddai Bethan, a chipio'r disiau. 'Fi
yw'r gwestai.'

'Fi!' meddai Henri, a chipio'r disiau'n
ôl.

'Fi!' meddai Alun.

'MAM!' sgrechiodd Henri ac Alun.

Rhedodd Mam i mewn. 'Cweryla cyn
dechrau chwarae! Be nesa?' meddai Mam.

'Fy nhro i yw hi i fynd gynta,' llefodd
Henri, Bethan ac Alun.

'Yn ôl y rheolau rhaid i chi rolio'r disiau, a'r un sy'n cael y rhif ucha sy'n chwarae gynta,' meddai Mam. 'A dyna chi.' I ffwrdd â hi a chau'r drws ar ei hôl.

Rholiodd Henri. Pedwar. Anobeithiol.

'Cyffyrddodd penglin Alun â mhenglin i pan o'n i'n rholio'r dis,' protestiodd Henri. 'Dwi'n mynd i gael tro arall.'

'Dwyt ti ddim,' meddai Bethan.

'Maaam! Mae Henri'n twyllo!' sgrechiodd Alun.

'Os gwaeddwch chi unwaith eto,' sgrechiodd Mam o'r llofft, 'fe dafla i'r gêm i'r bin.'

Aaaaaaa.

Rholiodd Bethan. Tri.

'Anadlest ti arna i,' hisiodd Bethan.

'Wnes i ddim,' meddai Henri.

'Do,' meddai Bethan. 'Dwi'n cael tro arall.'

'Dwyt ti ddim,' meddai Henri.

Cododd Alun y disiau.

'Rhif isel, rhif isel, rhif isel,' canodd Henri.

'Paid, Henri,' meddai Alun.

'Rhif isel, rhif isel, rhif isel,' canodd Henri'n uwch.

Sgoriodd Alun un ar ddeg.

'Hwrê, fi sy'n mynd gynta,' meddai Alun yn llon.

Syllodd Henri arno'n gas.

Anadlodd Alun yn ddwfn, a rholio'r disiau i gychwyn y gêm.

Pump. Y sgwâr Tynged.

Symudodd Alun ei ddarn gargoil i'r

sgwâr Tynged a chodi cerdyn Tynged. A fyddai'r cerdyn yn dweud wrtho am gasglu trysor, neu'n dweud wrtho am fynd yn syth i'r Dwnjwn? Syllodd yn gam ar y cerdyn.

'Mae'r cew..cewr…Alla i ddim darllen y geiriau,' meddai. 'Maen nhw'n rhy anodd i fi.'

Cipiodd Henri'r cerdyn. Dyma beth oedd arno:

Mae'r Cewri wedi dy wneud di'n frenin am ddiwrnod. Casgla 20 rhuddem oddi wrth bob chwaraewr.

'Mae'r Cewri wedi dy wneud di'n frenin am ddiwrnod. Rho 20 rhuddem i'r chwaraewr ar dy chwith,' darllenodd Henri. 'Fi yw hwnnw, felly tala ar unwaith.'

Estynnodd Alun Angel ddau ddeg rhuddem i Henri.

Hi hi, meddyliodd Henri Helynt.

'Dwi'n meddwl dy fod ti wedi gwneud camgymeriad, Henri,' meddai Bethan Bigog yn fygythiol.

O-o. Os darllenai Bethan y cerdyn, mi fyddai ar ben ar Henri. Byddai Mam yn rhoi stop ar y gêm, ac mi fyddai Henri mewn helynt. Helynt dychrynllyd.

'Wnes i ddim,' meddai Henri.

'Do,' meddai Bethan. 'Dwi'n mynd i ddweud wrth dy fam.'

Edrychodd Henri Helynt ar y cerdyn eto. 'Wps! Sili-bili. Fe ddarllenes i'r cerdyn yn rhy gyflym,' meddai Henri. 'Mae'n dweud, rho 20 rhuddem i *bob* chwaraewr arall.'

'O'n i'n meddwl,' meddai Bethan.

Rholiodd Alun Angel y dis. Naw! O na. Roedd e'n mynd i lanio ar Agen Arswyd, hoff ffau Henri. Nawr fe allai Alun brynu'r ffau. Roedd pawb wastad yn glanio ar Agen Arswyd, ac yn gorfod talu'n ddrud, neu gael eu bwyta. Chwyrnodd Henri.

'1,2,3,4,5,6,7,8,9. Edrych, Henri. Dwi wedi glanio ar Agen Arswyd a does neb wedi prynu'r lle,' meddai Alun.

'Paid â'i brynu,' meddai Henri. 'Honna yw'r ffau waetha ar y bwrdd. Does neb byth yn glanio arni. Byddi di'n gwastraffu dy arian.'

'O,' meddai Alun. Roedd e'n edrych yn amheus. 'Ond ... ond ...' meddai Alun.

'Cadw dy arian i dalu pawb arall pan fyddi di'n glanio ar eu ffeuau nhw,' meddai Henri. 'Dyna be fyddwn i'n wneud.'

'Ocê,' meddai Alun. 'Wna i ddim prynu.'

Hi hi.

Rholiodd Henri. Chwech. Ieeee! Glaniodd ar Agen Arswyd. 'Dwi'n prynu hwn!' gwaeddodd yn falch.

'Ond Henri,' meddai Alun, 'rwyt ti newydd ddweud wrtha i am beidio â phrynu.'

'Ddylet ti ddim gwrando arna i,' meddai Henri.

'MAM!' llefodd Alun.

Cyn hir Henri oedd piau Agen Arswyd,

Bwlch Braw a'r Ogof Ofnadwy, ond
doedd ganddo ddim llawer o drysor ar ôl.
Bethan oedd piau Pwll Perygl, Glyn
Griffon a'r Encil Erchyll. Roedd Bethan
yn cadw'i thrysor yn ei sach drysor, felly
doedd dim posib gweld faint oedd ganddi.
Dim llawer, meddyliodd Henri.

Alun oedd piau Ystrad Ysbryd ac un wy
draig.

Roedd Bethan wedi'i charcharu yn y
Dwnjwn. Hwrê! Dim ots os oedd Henri'n
glanio ar un o'i ffeuau hi, roedd e'n
ddiogel. Rholiodd Henri Helynt y dis, a
glanio ar Bwll Perygl, lle'r oedd un babi

draig yn gwarchod.

'*Sgrwmff*!' sgrechiodd Bethan. '25 rhuddem i fi.'

'Rwyt ti yn y Dwnjwn. Alli di ddim gofyn am arian,' meddai Henri. 'Na na na na na!'

'Wrth gwrs y galla i.'

'Alli di ddim.'

'Mae'r rheolau'n wahanol yn tŷ *ni*,' meddai Bethan.

'Wnest ti ddim sylwi?' meddai Henri. 'Dydyn ni ddim *yn* tŷ chi.'

'Ond fi yw'r gwestai,' meddai Bethan. 'Rho'r arian i fi!'

'Na!' gwaeddodd Henri. 'Alli di ddim newid y rheolau.'

'Mae'r rheolau'n dweud …' dechreuodd Alun Angel.

'Cau dy geg, Alun!' gwaeddodd Henri a Bethan.

'Dwi ddim yn talu,' meddai Henri.

Syllodd Bethan arno'n gas. 'Fe fyddi di'n difaru am hyn, Henri,' hisiodd.

Tro Alun oedd hi. Roedd Henri newydd gyfnewid ei fabi draig o'r Agen Arswyd am fwystfil o ddraig enfawr, lwglyd. Roedd Alun bum sgwâr i ffwrdd. Os glaniai ar yr Agen, dyna ddiwedd ar Alun.

'Glania! Glania! Glania! Glania! Glania!' canodd Henri. 'Iym iym iym, mae fy nraig i'n barod i dy larpio di.'

'Paid, Henri,' meddai Alun. Rholiodd y disiau. Pump.

'*Sgrwmff*!' gwaeddodd Henri Helynt. 'Fi biau Agen Arswyd! Rwyt ti wedi glanio yn fy ffau i! Rho 100 rhuddem i fi.'

'Does gen i ddim digon o arian,' llefodd Alun Angel.

Tynnodd Henri Helynt ei fys ar draws ei wddw.

'Rwyt ti'n farw gorn, fwydyn,' chwarddodd.

Rhedodd Alun Angel o'r stafell, gan igian crio.

'Waaaaaaaaaaaaaaaaaaa!' llefodd. 'Dwi wedi colli!'

Syllodd Henri Helynt yn gas ar Bethan Bigog.

Syllodd Bethan Bigog yn gas ar Henri Helynt.

'Ti fydd y nesa i gael dy fwyta,' chwyrnodd Bethan.

'Na, *ti*,' chwyrnodd Henri Helynt.

Cododd Henri ymyl y bwrdd *Sgrwmff* a sbecian ar ei drysor. O na. Dim eto. Roedd e wedi prynu cymaint o ddreigiau, doedd dim llawer o emau ar ôl. Os byddai'n glanio ar un o ffeuau Bethan, fyddai e byth yn gallu talu. Rhaid cael rhagor o drysor. Rhaid yn bendant. Pam o pam oedd e wedi caniatáu i Bethan fod yn fanciwr?

Roedd e mewn twll go iawn. Roedd hi'n hawdd dwyn arian oddi ar Alun, ond roedd llygaid barcud gan Bethan. Beth allai e wneud, beth allai e wneud? Rhaid cael rhagor o drysor. Rhaid, rhaid, rhaid!

Ac yna'n sydyn fe gafodd Henri Helynt syniad anhygoel o ardderchog. Roedd e mor ardderchog, allai Henri ddim deall

pam na feddyliodd amdano'n gynt. Roedd
y syniad yn beryglus. Roedd e hefyd yn
fentrus. Ond doedd ganddo ddim dewis.

'Dwi'n mynd i'r tŷ bach,' meddai Henri.

'Brysia,' chwyrnodd Bethan.

Brysiodd Henri i'r toiled lawr stâr
… a chripian yn syth drwy'r drws cefn.
Yna fe neidiodd dros wal yr ardd a
chripian i mewn i dŷ Bethan.

Rhedodd yn gyflym i'r stafell fyw ac
edrych yn y cwpwrdd gemau. Aha!
Roedd bocs *Sgrwmff* Bethan yn y
cwpwrdd.

Llenwodd Henri Helyn ei bocedi â
thrysor. Stwffiodd ragor o drysor o dan ei
grys ac i mewn i'w sanau.

'Ti sy 'na, siwgwr candi fach Mam?'
galwodd llais o'r llofft. 'Bethan Baba?'

Rhewodd Henri. Roedd mam Bethan
wedi cyrraedd adre.

'Bethan Dwmpli-dwmp,' canodd ei

mam, gan ddod i lawr y grisiau. 'Ife ti sy
na-a?'

'Na,' gwichiodd Henri. 'Ie,' meddai
wedyn. 'Dwi'n mynd yn ôl i dŷ Henri.
Hwyl.'

Ac fe redodd Henri Helynt am ei
fywyd.

'Buest ti'n hir iawn,' meddai Bethan.
Gwasgodd Henri'i fol.

'Poen yn fy mol,' meddai'n gelwyddog.
Waw, on'd oedd e'n glyfar? Ar ôl cuddio'r
llwyth o drysor o dan y bwrdd *Sgrwmff*,
byddai'n siŵr o ennill.

Cododd Henri'r ddau ddis a'u hestyn i Bethan.

'Dy dro di,' meddai Henri.

Roedd draig lwglyd Henri'n disgwyl amdani yn yr Hafn Hyll, chwe sgwâr i ffwrdd.

Rholia chwech, rholia chwech, rholia chwech, gweddïodd Henri Helynt.

Dim chwech, dim chwech, dim chwech, gweddïodd Bethan Bigog.

Rholiodd Bethan. Pedwar. Symudodd ei phenglog i'r Goedwig Greulon.

'Dy dro di,' meddai Bethan.

Rholiodd Henri dri. O na. Roedd e wedi glanio ar yr Encil Erchyll, lle'r oedd draig enfawr Bethan yn disgwyl amdano.

'*Sgrwmff*!' gwichiodd Bethan. '*Sgrwmff*! Mae ar ben arnat ti! Ha ha hahaha, fi sy wedi ennill!' Neidiodd Bethan Bigog ar ei thraed a gwneud dawns y dathlu, gan sgrechian a bloeddio.

Gwenodd Henri Helynt arni.

'O-o,' meddai Henri Helynt. 'O-o-o-o-
o. Mae'r ddraig yn mynd i 'mwyta i ...
DDIM!'

'Pam dwedest ti DDIM?' meddai Bethan
Bigog. 'Rwyt ti'n farw gorn. Alli di ddim
talu.'

'Gan bwyll,' meddai Henri. Chwifiodd ei
fraich, estyn o dan y bwrdd chwarae a
thynnu allan bentwr o drysor.

'Sawl rhuddem ddwedest ti? Cant?'
meddai Henri, a rhifo'r darnau.

Agorodd ceg Bethan led y pen.

'Sut ... pam ... y ... be?' tagodd Bethan.

Cododd Henri'i ysgwyddau'n swil. 'Mae rhai ohonon ni'n deall y gêm 'ma,' meddai. 'Nawr rholia.'

Rholiodd Bethan Bigog a glanio ar sgwâr Tynged.

Dos yn syth i Agen Arswyd, meddai'r cerdyn.

'*Sgrwmff!*' sgrechiodd Henri Helynt. Roedd e wedi ennill!! Doedd gan Bethan ddim digon o arian. Byddai'n cael ei bwyta. Roedd hi'n farw gorn. Roedd hi ar ben arni.

'Fi sy wedi ennill! Fi sy wedi ennill! Alli di ddim talu, na na na na na na,' sgrechiodd Henri Helynt, gan neidio ar ei draed a gwneud dawns y dathlu. 'Fi yw brenin y *Sgrwmff*!'

'Pwy ddwedodd?' meddai Bethan Bigog, a thynnu llond dwrn o arian o'i sach.

Y?

'Rwyt ti wedi dwyn yr arian!' meddai Henri, bron tagu. 'Rwyt ti wedi dwyn arian y banc, y twyllwr mawr tew!'

'Wnes i ddim.'

'Do.'

'TWYLLWR!' udodd Bethan Bigog.

'TWYLLWR!' udodd Henri Helynt.

Cydiodd Bethan Bigog yn y bwrdd chwarae a'i daflu i'r llawr.

'Fi enillodd,' meddai Henri Helynt.

'Wnest ti ddim.'

'Do fe wnes i, Bethan Baba.'

'Paid â dweud yr enw 'na,' meddai Bethan, a syllu'n gas.

'Pa enw, Baba?'

'Dwi'n dy herio di i chwarae gêm arall,' meddai Bethan Bigog.

'Ar unwaith,' meddai Henri Helynt.